Laura Numeroff   Lynn Munsinger

Les papys

on les aime comme ça !

BAYARD JEUNESSE

Avec un papy,
tu peux jouer à cache-cache,

fabriquer un beau chapeau,

et partir en promenade.

Un papy est toujours d'accord
pour faire de la peinture,

te montrer ses photos,

et t'apprendre à danser !

Un papy peut t'emmener
en pique-nique,

te montrer des tours de magie,

et t'aider à lancer
ton cerf-volant.

Un papy, c'est formidable
pour aller à la plage,

construire un château de sable,

et faire la sieste avec toi !

Un papy est toujours prêt
à jouer,

à te donner le bain,

et à chanter une berceuse,
rien que pour toi.

Mais le meilleur
du meilleur d'un papy,
c'est son amour,
jour après jour !

Mais le meilleur
du meilleur
d'une mamie,
c'est son amour,
jour après jour !

et à chanter une berceuse,
rien que pour toi.

à te donner le bain,

Une mamie est toujours prête
à jouer,

et faire la sieste avec toi !

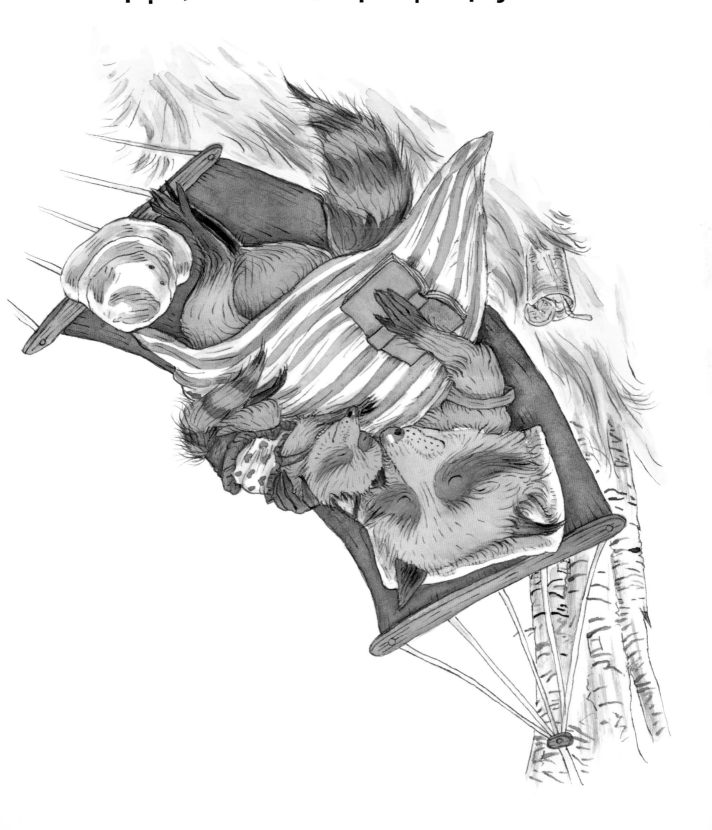

construire un château de sable,

Une mamie, c'est formidable
pour aller à la plage,

et t'aider à lancer
ton cerf-volant.

te montrer des tours de magie,

Une mamie peut t'emmener
en pique-nique,

et t'apprendre à danser !

te montrer ses photos,

Une mamie est toujours d'accord
pour faire de la peinture,

et partir en promenade.

fabriquer un beau chapeau,

Avec une mamie,
tu peux jouer à cache-cache,

BAYARD JEUNESSE

Les mamies

on les aime comme ça !

Laura Numeroff ♥ Lynn Munsinger